ALFAGUARA

¡Padrísimo, Natacha!

Luis María Pescetti

¡PADRÍSIMO, NATACHA!

Éstas son las sedes del Grupo Santillana:

Argentina, Bolivia, Chile, Colombia, Costa Rica, Ecuador, El Salvador, España, Estados Unidos, Guatemala, México, Panamá, Paraguay, Perú, Puerto Rico, República Dominicana, Uruguay y Venezuela.

Primera edición: febrero de 2009

ISBN: 978-607-11-0176-1

Realización gráfica de Alejandra Mosconi y Gabriela Regina
Ilustrado por Pablo Fernández

Impreso en México

¡Padrísimo, Natacha!

Luis María Pescetti

Ilustraciones: Pablo Fernández

A Hugo

Novios

—¿Tú cuántos novios tienes, Natacha? (*pregunta Pati*).

—Mmm… trece.

—¡No, burra! ¡No puedes tener tantos!

—Bueno, siete…

—¡Tampoco, Natacha!

—¡Ay, no sé, tarada, *spérate*! Tengo que contar, te dije al aventón, no me acuerdo así del todo.

—Bueno, pero yo digo así el más más importante, ¿cómo se llama?

—Es ése… que una vez te dije, ¿te acuerdas?

—¡Si me hubieras dicho no te estaría preguntando!

—¡Ay, bueno, Pati! ¡Qué sé yo por qué se te olvida!

—¡Ay, tú, si ni me contaste, niña!

—Ay, me da sueño, ya párale.

—Ay, bueno, dime otro si no te acuerdas de ése.

—Otro es Nicolás y…

—¡¡¡¡¡¡¡¡¡¿¿¿¿¿¿Nicolás??????!!!!!!!!!

—¡Ay, sí, no grites, burra! ¿¡Qué quieres!? ¡¿Hacerlo aparecer?!

—Pero, ¡Natacha! ¡¿No te das cuenta?! ¡Nicolás no puede ser tu novio!

—¿Por qué? ¿Dónde está prohibido?

—No es que esté prohibido, pero es súper feo y es bien tonto…

—¡Además no es tan tonto, tonta!

—¡Sí, tonta, es, y no es lindo, Natacha! Dime otro, ése no me gusta.

—¿No ves que no te tiene que gustar a ti para ser mi novio? Además, lo único que no me gusta es que cuando habla se le hace como una babita en la boca.

—¡Agh! De eso no me había dado cuenta, ¿en serio? ¡Qué asco!

—Pero es lindo… bah, así, si no le miras la babita, ¿no?

—¿Y pa dónde miras cuando habla?

—Ay, miras para arriba, o a otra parte.

—¿Y si te pide que lo mires cuando habla?

—Pus no lo miras, aunque no se puede dejar de mirar la babita; yo mejor miro a otra parte.

—No, pero él no, dime otro.

—¡*Oots*, Pati! ¡¿No te dije que no me acuerdo?! ¡Di uno tú también!

—Bueno, a mí el que más más lindo me parece… o, bueno, no el que más el que más, pero así uno, ¿no?, es Fede, ¿ves?

—¡Ése era del que no me acordaba!

—¿¡Fede es tu novio también!? ¡Padrísimo, Natacha!

—¡Chido, Pati! ¡Porque no sabía que era tu novio también!

—Pus bueno, no es así del todo, porque no me ha dicho, pero yo le iba a decir mañana.

—Ay, pero no importa, es como si fuera ya.

—Por eso.

—¡¿Y no quieres que le escribamos tu declaración las dos juntas?!

—¡¡¡De pelos, Nati!!! ¡¡¡Y le metemos dibujitos de amor!!!

Cincuenta por ciento bien

—Mamá, ¿ves que yo le quiero enseñar a traer la pelota al Rafles?

—Sem…

—Se la aviento y la va a buscar, ¡pero cuando la trae no la entrega!

—Ajá.

—Y yo le digo: "Rafles, ¿me quieres decir por qué aprendes la mitad que te conviene?".

Ciencia y tecnología

La escuela organiza una Feria de Ciencia y Tecnología. La maestra propone una serie de trabajos previos para introducir a los chicos en el tema. El primero es que averigüen la diferencia entre ciencia y tecnología.

La ciencia es por ejemplo la electricidad, los pararrayos, o sea, todo así. Y la tecnología es la leche, por ejemplo, que nos da queso. O los aviones.

Isaac Newton fue un gran inventor contra los rayos que protegió a todas las personas contra los rayos, inventando el pararrayos.

La ciencia es una gran necesidad, no como la tecnología porque sin ella no podríamos vivir. Albert Einstein y Madame Curie son dos grandes inventores de la humanidad aunque sufrieron muchas injusticias, porque no sólo inventaban una parte del día y la otra tenían que enseñar también. Los alumnos los querían mucho porque los respetaban porque cuando entraban les decían: "Buenos días, profesor Albert Einstein, ¡qué linda teoría!" o "Buenos días, profesor Madame Curie, ¡qué lindos rayos equis para una radiografía!", porque ellos no se conocieron.

¡Vivan Albert Einstein y Madame Curie! ¡Aunque la humanidad los separe!

Natacha

Calificaciones

La mamá de Natacha va a recoger a las niñas a la escuela. Ellas corren a su encuentro.

—¡Para la Feria de Ciencia no nos van a poner calificaciones!

—¡*Spérate,* Pati! ¡Es mi mamá! ¡Tú platícale a la tuya! (*Natacha*).

—¡Mi mamá nos recoge mañana, babas!

—(*paciencia paciencia*) A ver, pimpollitos atómicos, ¿por qué no hablan de una en una?

—Que para la Feria dejan de ponernos calificaciones (*Pati*).

—¡¿Y eso?!

—No, mamá, no nos van a poner más números ni letras, ahora son todas expresiones más chidas, ¿ves? Por la Feria de Ciencia (*Natacha*).

—Porque la maestra dice que así nos estimulan, ¿verdad, Nati?

—Es así, mami, por ejemplo: lo que antes era un diez o una "A", en la Feria te van a poner "destacado".

—… que es un poco más que "sobresaliente" (*Pati*).

—Claro, porque viene así: "muy destacado", "sobresaliente", después "destacadísimo".

—No, Natacha (*corrige la mamá*), "muy destacado" debe ser la más alta.

—No, ma, la maestra dijo que era menos que "sobresaliente", después viene "progresa moralmente".

—¡"Adecuadamente", Natacha!

—Ah, eso. Sigue tú, Pati.

—Bueno, ésa quiere decir que eres del montón, dijo la maestra.

—Claro, y después "adelanta notablemente", que es un poco menos, pero no tanto, así más para estimular, ¿no, Pati? Que es cuando no eres tan del montón como los de "progresa con normalidad".

—No, niñas, si es "normal" está bien (*la madre*).

—Para nada, si está todo bien es "avanza sobresalientemente" (*Pati*).

—Nel, Pati, "muy sobresaliente" es que estás normal (*Natacha*).

—Niñas, "sobresaliente" quiere decir que es mejor que el resto (*la madre*).

—No, mamá, eso es "destacadamente", después viene "aprobó con dificultad".

—Ah, sí, cuando pasa de panzazo (*Pati*).

—Que es "destacó" pero para abajo.

—Sí, que quiere decir: "caaaasi no llega".

—No, mensa: que llegó, ¿no ves que dice "aprobó"? (*Natacha*).

—Sí, pero "con dificultad".

—Bueno, pero aprobó, ¿o no?

—Pero la directora dijo que ésos no participaban más en una Feria de Ciencia.

—Oigan, ¿están seguras de que entendieron, niñas? (*la mamá*).

—Claro, mami, ¿no ves que mañana nos hacen examen de esto?

—¡¿Del sistema de calificaciones?! (*exclama la madre, sorprendida*).

—No, Nati, mañana nos vuelven a explicar lo de la Feria, por si nos quedaron dudas (*Pati*).

—Ah, ¿*tons* no era examen?

—Niñas, ¿no les dijeron si hay una calificación para quienes no aprueban?

—¡Ah, sí, mami! *Spérame* tantito..., ¿cómo era, Pati? "Malogró los objetivos", algo así... es más padre este nuevo sistema, ¿no, Pati?

—Sí, porque nos estimula más.

Querido diario:

Si las personas no cuidaran a las vacas para comerlas: ¿habría más o menos?

Natacha

Servicio

—Nati, ¿vamos a hacer mi cartita para Fede?

—Ay, yo sé hacer una letra de amor, así parejita, padrísima, Pati, ¿no la has visto?

—Bueno, tú me dictas y yo la escribo.

—¡No, mensa!, "tú" díctamela, ¿si no cómo voy a hacer mi letra de amor? Ándale, ve por una hoja.

—Sí (*busca*), mira, acá tengo ésta.

—¡Ay, Pati! ¡No seas! ¡Es cuadriculada!

—¡Ay, tú! ¿¡Y qué tiene!?

—¡Tiene que ser de rayas, bruta!

—¡Si el cuadriculado es más fácil para los dibujos, Natacha!

—¡Pero es de amor, Pati! ¿Qué le ibas a poner?: "¿Quieres ser mi novio, veintisiete entre ocho?" Ja ja ja…

—¡Ay, bueno, y yo qué iba a saber! *Spérate* que busco otra. ¿No hay bronca si no está limpia de los dos lados, Nati?

—Pus sí, o no… tráete cualquiera, aunque sea limpia de un lado nomás, por si la lee y después la tira; si le gusta le decimos que ésa es así, de por mientras, y le buscamos otra.

—Aquí tengo una toda blanca.

—No, mejor con rayas, Pati, para que no se me tuerza la letra.

—(*busca*) ¿A ver?... mira, acá tengo una pero está casi llena menos este cachito; yo se lo corto, total, ¿le vamos a escribir mucho, Nati?

—Es a gusto del cliente, no sé qué quieras ponerle.

—Pues... si tiene novia y si le gusto... yo sé dibujar un bambi que lo pinto de azul.

—Ay, qué lindo... (*¡clunk!*) ¡Pati! ¡Se me ocurrió una idea! ¿Y si ponemos un negocio de cartitas de amor? ¿Sabes cuántas niñas quieren hacer cartitas de amor?

—¡Uh! Genial, Nati, y tú les haces tu letra de amor y yo les pongo un bambi... tenemos que cobrarlas.

—Yo digo que a peso cada una, porque es un chorro de trabajo, también.

—¡Ya está! Si ellas las dictan es a peso, y si las inventamos nosotras, ¡cinco pesos!

—¡No, Pati, no seas gacha! ¡Eres bien carera!

—¡Nati! ¡¿Cómo ves si le enseñamos al Rafles a llevarla con la boca?!

—¡¡¡De pelos!!! Qué genia, Pati... ¡Rafles! ¡Veeeen!

—Llámalo después porque es tan bruto que va a hacer un lío. ¿Y a él le pagamos?

—Ni conoce el dinero, mejor le damos un hueso (*Natacha*).

—El hueso hay que cobrarlo aparte.

—Hagamos un cartel, le sacamos fotocopias y lo repartimos entre las niñas.

Servicio de cartas de amor

- letra de amor:	*$ 0,50*
(incluye papel limpio)	
- ponerle un bambi azul:	*$ 0,50*
(otro animal: según	
el tamaño y cómo me salga)	
total:	*$ 1*
- invención de la carta:	*$ 1*
total:	*$ 2*
- si funciona:	*$ 5*
- llevada en perro:	*$ 1*
(si el Rafles la pierde	
o la babea mucho, es gratis)	

Pati y Nati

Otra actividad previa a la Feria de Ciencia es visitar un acuario. Luego tienen que describir los dos animales que más los impresionaron.

El delfín es el mejor amigo de la humanidad como el perro. Pero los delfines nunca fueron considerados sagrados como los gatos y sin embargo sonríen al hombre y hacen pruebas en los acuarios comiéndose peces que les arroja el entrenador para felicidad de los niños que fueron con sus familias un domingo al acuario a verlos. También juegan a la pelota y saltan juntos en las pruebas y se comunican por el cerebro haciendo un ruidito con la boca. Tienen mucha inteligencia y son mansos y no atacan como algunos perros porque lo que pasa es que ellos no son tan tan inteligentes como los delfines y entonces uno se le arrima a un perro y él entre que se decide si uno es bueno o malo ataca por si las dudas. En cambio los delfines enseguida entienden que uno es bueno y los quiere saludar con una caricia de cerca nomás y sacarse una foto de recuerdo y por eso sonríen como hace el Rafles también porque es un perro muy especial y amiguero. Por ejemplo los perros son como Madame Curie y los delfines son como Albert Einstein.

¡Vivan los perros y los delfines!

¡Qué alegría para los niños y la humanidad!

Natacha

Tiburones

El tiburón es el Drácula de los animales como los murciélagos porque es sanguinario, malo y ataca sin avisar porque ve poco, por eso no conviene nadar en sus costas.

Tienen tres hileras de dientes muy peligrosos siempre listos. Es como un lobo hambriento que no descansa y si huele sangre igual y enloquece y no importa si es de noche porque huele perfectamente a cientos de kilómetros debajo del mar.

Éste es un tiburón:

Éstas son sus hileras de dientes:

¡Aguas!
¡No naden en sus costas!

Natacha

¿Podemos ser amigos?

El papá de Natacha está por terminar un trabajo que debe entregar con urgencia, cuando suena el teléfono. Bufa molesto por la distracción y contesta. Es Natacha que llama desde el departamento.

—Hola, papi, ¿el Rafles es amigo mío?

—¡…! Nati, ¿para eso me llamaste?

—Sí, bueno, no…, a ver, va de nuez: hola, papá, te quiero mucho y aprovecho para preguntarte, ¿el Rafles es mi amigo?

—(*uf*)Nati, las personas pueden ser amigas entre sí, pero un animal, no.

—No qué.

—¿Cómo "no qué"?

—Sí, que "no qué".

—(*paciencia*) ¿Tú qué me preguntaste, Natacha?

—Si el Rafles es amigo mío.

—¿Y qué te contesté?

—Que los animales no pueden ser amigos entre ellos con las personas.

—No… bueno, no importa; las relaciones de amistad se dan entre personas, ¿de acuerdo? Ahora déjame trabajar porque estoy muy ocupado.

—Gracias, pa, era para la Feria de Ciencia, un beso.

Cuelga, el papá trata de retomar donde se quedó. Nuevamente suena el teléfono.

—Pa, ¿tú dices que el Rafles no puede ser mi amigo porque es más chico?

—(*paciencia*) No, Nati…

—… porque el hermanito de Pati también es más chico y sin embargo…

—(*paciencia paciencia*) Nati, si llamas para hacerme una pregunta tienes que oír, ¿no te parece?

—Primero hacerte la pregunta y después oírte, ¿no, papi? Ja ja, mira si te llamo y nada más me quedo callada, ja ja, ay, papi, cómo eres, ¿eh?

—Natacha, estoy atrasadísimo, dime.

—¿"Dime" qué?

—Lo que me querías contar.

—No, papi, ya te hice la pregunta.

—… (*el papá repasa mentalmente, sin acordarse de cuál era*) Ah, órale, sí.

—… ¿sí? (*decepcionada*). Bueno, papi, un beso grande, adiós.

El papá se concentra para retomar su trabajo, pero, nuevamente, suena el teléfono.

—Pa…

—Nati, ¿te puedo pedir un favor?

—¡*Spérate*, papi! ¡Es un segundo nomás! Tú dijiste que Rafles no podía ser mi amigo porque es más chico, pero te equivocaste, porque qué importa, pobre, que sea más chico, él no tiene la culpa y no va a estar solo en casa, sin amigos, porque es el más chico de todos. Además, entonces con mami tampoco podrían ser mis amigos porque son más grandes y sólo se llevarían entre ustedes, ¡qué transas, eh!

—Nati, mami y yo somos tus papás, no tus amigos y…

—¡¡¡¡¡…!!!!! ¿¡No podemos ser amigos!?

—Como papás e hija, sí… pero ¿me puedes decir por qué tanto rollo con esto?

—No, porque Rafles, ya sabes cómo es, ¿no?

—… Ajá (*sospecha de problema*).

—Él no es malo, así "malo malo", y Pati dice que quiere hacerse amigo, y yo le digo que él es de la familia, y Pati me dice…

—Natacha, apúrale.

—¡Ay, papá! ¡Así no vas a entender nada…! Bueno, y ella me dice que un perro no puede ser de la familia, cuate sí, pero de la familia no, y por eso te llamé (*empieza a emocionarse*) y tú dices que con mamá no pueden llevarse conmigo (*snif snif*) y entonces resulta que ahora ni Rafles ni yo somos de la familia y... buahhhhhhh...

—Nati, mi amor...

—¡Buaahhhhh!

—Nati (*deja de mirar su trabajo*), no es que "no podamos" ser amigos, sino que es diferente.

—Es lo mismo, buaaaahhh...

—Escúchame, mami y yo te queremos mucho, ¿me oyes?

—... (*snif snif, asiente con la cabeza*).

—... y claro que podemos ser amigos, sólo que de otra manera que los que sólo son amigos... nunca vamos a dejar de ser tus papis y te vamos a querer siempre siempre, ¿entiendes, piojo?

—... sí (*snif*).

—Bueno, ahora cuéntame qué hizo Rafles.

—Rompió la agenda de al lado del teléfono, pero ya la arreglé.

—¿Qué hiciste?

—Pati y yo tratamos de pegarla pero preferimos ir a la papelería y la dejamos de ejemplo para que nos consigan otra.

—Natacha, ahí tenemos anotadas cosas que son nuestras, ve a buscarla.

—¡No puedo, papá! ¡Me van a decir que estoy lurias: la dejo, me la llevo, la dejo, me la llevo, pus qué onda!

—(*paciencia*) Bueno, después paso y la buscamos juntos.

—¿¡AHORITA!?

—No, Nati, cuando termine el trab…

—¡¡¡¡¡CHIDO, PAPI!!!!! ¡Órale, ven, enseguida…!

—Nati, te dije desp…

—¡… y llevamos al Rafles para que se corrija!

—Natacha, escúcham…

—¡Rafles! ¡Prepárate que papá nos lleva a pasear! ¡No corras, Rafles! ¡Ándale, papi, ven enseguida que te espero! ¡Rafles, loco! ¡Espérate que vas a tirar algo!

Pensamiento

—Nati, ¿los sueños son pensamientos? (*Pati*).

—... no, porque no obedecen.

—¿Y no será que un sueño es un montón de pensamientos sueltos?

—No, porque es como un montón de caballos por ahí, ¿no? Y cada uno hace lo que le da la gana, ¿no?, y eso es el sueño. Y cuando corren todos juntos es el pensamiento.

—Nati, eso es lo que yo dije.

—Ah, entonces sí.

La ballena

La maestra les pide que vean un documental sobre algún tema de la naturaleza y luego lo comenten por escrito. Natacha renta un video de Jacques Cousteau y se sienta a verlo junto con Rafles.

—Mira, ese flaquito que nada es el señor, y la grandota quieta es la ballena, ¿ves?

Rafles mira la pantalla; de repente comienza a rascarse frenéticamente.

—¡Rafles, no seas maleducado! (*lo sienta*). Quédate quieto, si no cómo vas a ayudarme, ¿viste que tienen la boca como una bodega? Y no tienen pelo porque en el mar no les da frío como a ti.

Rafles vuelve a rascarse.

—¡*Spérate*, menso! ¡Que tengo que escribir sobre las ballenas y no sobre las pulgas!

Cuando termina el documental, Natacha acuesta al perro enfrente de ella.

—Quédate quieto y haz de modelo del dibujo, ¿quieres ser la ballena o el señor?… a ver, acuéstate estirado y abre la boca.

Rafles se rasca.

—Rafles, las-ba-lle-nas-no-tie-nen-pul-gas.

Ella es la vaca del mar por ser la única capaz de amamantar a sus hijitos.

Son muy tranquilas y grandes como una montaña con unas tetitas para sus hijos. Nadan con peces que van alrededor comiéndoles basuritas como si fueran dándoles besitos o cotorreando todo el tiempo.

No son inteligentes como los delfines ni son las mejores amigas de la humanidad, pero hay que quererlas mucho y salvarlas porque están en peligro de extinción y no entran en los acuarios porque uno tiene que ir donde ellas están sin molestarlas porque no por ser grandototas uno tiene que pensar que no son delicadas y aprovecharse.

Son como los osos o los elefantes del mar pero son los animales más grandes de la humanidad que tiran un chorrito de agua muy gracioso.

¡Vivan las delicadas ballenas!

Natacha

Primer pedido

Pati y Natacha fotocopian la propaganda del servicio de cartitas y la reparten entre sus amigas. Curiosamente, el primer pedido es de un niño.

—Oigan, ¿ustedes escriben cartas de amor? (*Rubén, tímido*).

—¿Y tú cómo sabes? (*sorprendidas*).

—Pues… porque Sabrina me contó, ¿hacen de niños?

—¡No! ¡Sí! (*gritan al mismo tiempo y se apartan para ponerse de acuerdo sin que las oiga Rubén*).

—Nati, dijimos que íbamos a hacer de niñas nomás.

—No dijimos, se nos había ocurrido, pero ahora podemos hacer de niños también.

—Natacha, ¡¿y tú sabes cómo se hace una de niños?!

—¡Ay, Pati! Le hacemos la letra de amor, pero que nos la dicte él.

—Aaaahh…

Regresan con Rubén, arrancan una hoja de cuaderno, se sientan en un rincón apartado del patio.

—¿Vas a querer el bambi azul primero o después? (*Pati*).

—¿¡Cuál bambi, tú!?

—¡Ay, menso! ¿¡Y vas a hacer una carta de amor sin un dibujo!? Ja ja ja. ¿Oíste, Nati?

—Bueno, eso después, ahora te voy a hacer una letra de amor muy linda, ¿trajiste el dinero? (*Natacha*).

—Sí.

—Ah, bueno, y es una letra de amor, así, redonda; ya vas, díctamela.

—… (*Rubén ladea la cabeza, incómodo*).

—… (*espera espera*).

—… (*Rubén se rasca, bufa*).

—… (*Natacha y Pati empiezan a desesperarse*).

—Es que no sé qué ponerle.

—Aay, ¿para quién es? (*Natacha, impaciente*).

—Para Leonor.

—¿¿¿¡¡¡LEONOR!!!???

—¿¡Qué tiene!?

—No puedes escribirle a ella, niño, ¿no sabes que a ella le late Nicolás?

—¡¿Y qué tiene?! A lo mejor empiezo a gustarle.

—Ay, Pati, explícale tú (*Natacha, agarrándose la cabeza*).

—Rubén, mira, tú no puedes escribirle una carta a Leonor porque no, y mejor pensamos en otra. Nati, ¿a cuál no le gusta nadie?

—Esteeee… (*Natacha*).

—Pero yo quería con… (*Rubén*).

—*Spérate* que no me dejas pensar… esteeee… ¿sabes cuál, Pati? ¡Sabrina!

—¡No, pero ésa no me gusta! (*Rubén*).

—¡Órale, Nati! Sabrina podría ser, ándale. (*Pati*).

—No, pero no quiero, ésa no me gusta (*Rubén*).

—Ya, empieza de una vez.

—Pero no quiero, Sabrina no me gusta (*Rubén*).

—¿Cómo no te va a gustar? Si es bien linda… (*Pati*).

—… sí, pero…

—… y es buenísima onda (*Natacha*).

—… sí, pero…

—¿La viste cuando fue la fiesta de la escuela?, que estaba lindísima, ¿te acuerdas, Nati?

—¡Ay, sí! ¡Estaba divis, divis! Ándale, empieza a dictar.

—No, pero yo no…

—¡Ay, qué pesado! ¡Ya bájale! (*Pati*).

—Yo quería con Leonor.

—¡Ay, sí, qué pesado! Empieza a dictar, órale (*Nati*).

Rubén se sacude incómodo, se rasca la cabeza. Natacha y Pati lo miran impacientes.

—Eeh… "Querida Sabrina…" (*Rubén*).

—¡Ay, qué lindo comienzo! ¡Se va a morir! (*Natacha*).

—¡Sí! ¡Yo después le meto un bambi azul precioso, vas a ver! (*Pati*).

—… yo quería hacérsela a Leonor.

—¡Ay, qué terco! Órale, ¿cómo la seguimos?

Pesos y medidas

La maestra les pide una lista de frases que impliquen comparaciones de pesos y medidas. Les sugiere que incluyan palabras como largo-corto, liviano-pesado, gordo-flaco, entre otras.

- Una mesa es más filosa que una montaña.
- Un barco no es tan largo como una película.
- El Sol es más liviano que la Galaxia.
- Un auto es más pesado que una bicicleta (si hay que subir una montaña, es más liviano ir en auto).
- Una carta es más larga que un dibujo.
- Una ballena es más pesada que un delfín (que es más inteligente).
- Los delfines son más largos que los perros.
- Albert Einstein era más gordo que Madame Curie y sus rayos equis.
- ¡Yo y Pati ya ganamos 2 pesos!
- Un rayo es más largo que un pararrayos.
- Isaac Newton era más pesado que un rayo.

• Pati es igual de alta que yo y Nicolás es más bajo que Fede y Pechito es más alto que los dos.

• La calificación "muy destacadamente" es más larga que poner un 10 porque es más estímulo para los niños.

• Mi papá es más pesado que mi mamá (y más gordo que en una foto que le vi de joven).

• Rafles es más corto que una ballena y otros perros (¡pero es muy bueno!).

• Los domingos son los días más largos.

• Una foto es más liviana que la gente.

• El agua es más pesada que el aire porque podemos flotar.

• Cuando estaba chiquita le tenía miedo al agua, ¡ja ja ja!

• Los tiburones acortan la vida de sus víctimas.

• ¡Largo de aquí!

• La compañía cortó el teléfono porque mi papá creyó que lo había pagado mi mamá.

• Los leones tienen dientes más largos que los tiburones y duermen la siesta.

• El correcaminos es la caricatura más ligera.

• Ayer en la telenovela dijeron: "No opines tan a la ligera".

• La humanidad es pesada.

Natacha

Si hacemos cuentas

—Ahora, Pati, suponte que cobrábamos cinco pesos por las cartas, como tú decías, ¿no?

—Sí.

—… en vez de un peso, porque me parecía que eras súper carera, ¿no?

—Sí.

—… son cuatro pesos más para nosotras, Pati.

—Un chorro, ¿ves, Nati? Por eso te decía, multiplícalo y vas a ver cuánto te da.

—¿Por diez, Pati?

—Por mil, por lo menos, ¿a ver? (*toma un papel*). Yo la hago… poooooor, ¿cuánto dijimos? Mil. Miiiiiiil…

—Bruta, le hiciste un cero de más, Pati.

—No, ése es el punto.

—¡Parece Santa Claus tu punto, Pati! Hazlo flaquito porque después nos dan cualquier cosa las cuentas.

—(*Borra borra borra*)…

—Borraste un cero de más, ahora quedó cien.

—¡*Mmta*, Nati, decídete! (*agrega un cero*). Listo, ya está, ¿cómo va la cuenta?

—(*piensa*) ¡Cuarenta mil!

—¿¡Tanto, Natacha!?

—No, Pati, *spérate*... ¡cuatro mil!, ahora sí.

—Por eso, Nati, igual es una lanísima, y eso que nomás lo multiplicamos por mil.

—¿¡Te imaginas por un millón, Pati!?

—¡Te digo que nos conviene, Nati, y tú no querías, ¿eh?!

—¡¡¡Ay, tú!!!, ¡¡¡no habíamos hecho las cuentas, yo qué iba a saber!!!

—¿Y qué vamos a hacer con toda esa lana?

—Por eso te decía antes, Pati, suponte que cobramos más, ¿de quién es el dinero?

—Nuestro, ¿de quién va a ser?

—Pero suponte que un día tu mamá va al súper, ¿vas a llevar tu lana o no?

—Aaah (*se da cuenta*).

—¿Entiendes, Pati? Y suponte que un día mi papá dice que en el trabajo se le rompió algo, ¿*tons* qué?

—Aaah (*riesgo riesgo*).

—¿Escondo el dinero para que no me lo quite?

—Aaaah… (*problema problema*).

—Porque la lana de ellos es para nosotras, pero ¿y la nuestra?

—Aaaaaaah… (*grave grave*) es una broncota, Nati… claro, porque, si queremos un regalo, ellos sacan de su dinero para comprarlo.

—Tendríamos que hacer lo mismo, ¿no, Pati?

—… (*piensa*). Si fuéramos millonarias, sí, pero así nos quedamos sin, ¡y no se vale! ¡Qué listos! Ellos siempre tuvieron dinero, pero nosotras apenitas empezamos.

—… (*piensa*).

—… (*piensa*).

—A menos que ahora no pidamos un regalo y, entonces, después sí nos podemos guardar nuestra lana, porque no quisimos todo todo (*Natacha*).

—(*piensa*)… o a menos que no cobremos cinco pesos como dije.

—¿Ya ves, Pati? Eso me quedé pensando, porque si cobramos un peso nomás, no lo tenemos que dar.

—Claro, porque es más poquito.

—Claro, y no es como que lo escondemos.

—¡Natacha, tenías razón! ¡Reteconviene cobrar un peso nomás!

—No le hace, Pati, otra vez la riego yo y tú te das cuenta y ya.

Nicolás: tú me lates ¿por qué se te sale esa babita cuando hablas? Contéstame y también si te late alguna niña aunque lo tienes que preguntar tú.

Natacha

Escribir la famosa carta

—*Querido Fede…*

—No, Pati, no le pongas "Querido" así de sopetón, porque se va a dar cuenta de qué le quieres decir.

—Bueno, ¿y qué le pongo? ¿"Fede" solo?

—Claro, zonza.

—Bueno: *Fede, me gustas mucho y no te puedo decir quién soy y…* Nati, ¿viste que Sabrina dice que Fede medio se cree muy galán?

—¿Y qué tiene?

—¡Cómo "qué tiene", Natacha… que si empezamos la carta poniéndole que me gusta mucho se súper va a creer más todavía!

—Entonces ponle: "¡¿Tú quién te crees, tarado?!"

—¡Natacha, ¿cómo le voy a poner eso, pobre?!

—¡Ay, Pati, ¿quién te entiende?!

—¡Es que eres más exagerada que no sé qué! ¡Ayúdame, Nati, no seas gacha!

—¡Si yo te quiero ayudar, pero nada te parece!

—No eches bronca y dime qué le pongo.

—Eeeh… ponle: *Fede* solo.

—Sí.

—Después ponle: *Hace rato que quería escribirte…*

—Sí.

—*… porque eres el chico más guapo del salón…*

—Sí.

—*… antes me latía uno que se llama Pechito…*

—Sí.

—*… después te vi a ti y me latiste tú.*

—*Más que Pechito,* le agrego, ¿no, Nati?

—Mmm… sí, mejor.

—Órale, ¿qué más?

—Ponle: *… mejor dicho, somos dos chavas que somos anónimas porque todavía no te podemos decir…*

—¡*Oots,* está padrísimo, Nati, así le creamos misterio! Órale, con qué sigo.

—Ponle: *… y a las dos nos latían Pechito y Pablo Vale, pero cuando…*

—Y *Nicolás,* te faltó, Natacha.

—¡Si a ti no te gusta Nicolás!

—¡Ay, Natacha, pero eres mi amiga y estamos haciendo la carta juntas!

—¡Ay, qué buena onda eres, Pati!, bueno, agrégale: *… y Nicolás, pero cuando te vimos a ti eres un cuero y nos gustaste y te queremos contar que eres muy lindo y gracioso, pero no te ilusiones que no te queremos preguntar nada raro sólo te vamos a preguntar ¿quién te gusta?*

—Ahí hay que dejarle un espacio, ¿no, Nati? ¿Cuántas rayitas le dejo?

—¿Cuáles "rayitas"?

—Así escribe una letra en cada rayita.

—Ponle cinco.

—¡¿Cinco nomás?!, ¿y si le gusta Verónica?

—¡Bueno, Pati, que ponga dos letras por rayita y ya!

—¡Natacha, güey, además tu nombre no cabe!

—... (*Natacha cuenta mirando el techo*) ¡Uh!, tienes razón, mejor ponle doce rayitas.

—¿Para qué tantas?

—Por si quiere poner "NatachayPati", ¿por qué va a ser?

—Tienes razón, entonces mejor le agrego: (*te pusimos doce rayitas para que te quepan dos nombres, por ejemplo*). Ya está, bueno, ¿cómo sigo?

—Eh, ponle: *Espero que elijas bien, en realidad el que tendría que decir esto eres tú, pero como nos gustas y no me animo a decírtelo, mejor te escribimos por carta. Un beso grande y si te gustamos dínoslo por favor.* Listo.

—No, aguanta, le agrego: *Sí o No.*

—Ah, claro.

—*Firmado, somos dos chavas. No te creas tan galán. Anónimo (¡Ah!, y no tenemos novio).*

La verdad de Leonor

Después de hacer la carta a pedido de Rubén, Leonor las busca.

—Oigan, ¿es cierto que el otro día Rubén les pidió que escribieran una cartita?

—No sé, ¿por qué? (*Natacha*).

—Díganme, si no, no puedo decirles.

—Rubén nos dijo que era secreto, niña, no podemos decirte (*Natacha*).

—Porque él quería escribirme y ustedes le dijeron que me late Nicolás, pero no es cierto (*Leonor*).

—¿¡Cómo que no es cierto!? (*preguntan las dos, mirándose sorprendidas*).

—No, porque a mí sí me late Rubén.

—No mientas, Leonor, tú qué sabes (*Natacha*).

—¡Cómo no voy a saber si me gusta! (*Leonor*).

—¡¿Y para qué andas diciendo que te gusta Nicolás?! (*Pati*).

—¡Si no le dije a nadie!

—Nicolás nos dijo, Leonor, ¿¡a poco él no va a saber!?

—¡Son cosas que inventa, niñas, no le crean! Si hasta venía a pedirles que me hicieran una carta para Rubén (*Leonor*).

Natacha y Pati se alejan, para hablar a solas.

—¡Chin, me parece que nos equivocamos, Pati! Porque Leonor no es chorera.

—Y nos venía a pedir una carta, o sea que va en serio.

—¡Ay, ¿qué hubiera hecho Madame Curie?!

—Natacha, no exageres, vamos a ayudarla.

Regresan con Leonor, que las espera ansiosa.

—¿Qué onda? No sean malas, porque ahora Rubén se va a creer que me gusta ese tarado y no me va a hablar más (*Leonor*).

—Bueno, nosotras te ayudamos, pero algo te cobramos, porque no fue toda culpa nuestra (*Natacha*).

—No le hace, yo se la pago completa y…

—¡Ay, si la pagas completa te hago un bambi de cada lado! (*Pati, conmovida*).

—¡Ay, qué buena eres, Leonor! Claro que te vamos a ayudar, y le escribimos una a Nicolás, para que no se haga el menso (*Natacha*).

—No, bueno, ésa no, porque Nicolás también me gusta un poco, ¿no?, pero Rubén me late más y si no quiere me quedo sin ninguno (*Leonor*).

—Ah, pus sí... mejor hagamos la de Rubén nada más.

—Y quiero que se la den a Valeria, para que se la lleve a Rubén.

—¿¿¿Por???

—Porque ella le dijo a Nicolás que a mí me gusta él, y yo se lo había contado pero como un secreto para ella, así se entera y no anda chismeando nada más.

La carta, que prepararon en una hoja nueva, con un bambi azul a cada lado, se la dan a Valeria, quien la lee.

Rubén: hola soy Leonor y sí me lates.

Natacha y Pati te dijeron otra cosa porque ellas estaban equivocadas porque Nicolás es un chorero, si yo no le conté nada porque tú me gustas más estás bien lindo y tienes unos ojos hermosos. Escríbeme una carta bien romántica porque me gustas mucho la espero enseguida no te demores Te quiero *no te demores mira que también me gustan otros chavos, eh, pero tú me gustas más* Te quiero *escríbeme enseguida. Leonor.*

Valeria se la entrega a Nicolás, que le agrega:

"No soy un chorero, a mí me dijo Valeria."

Y se la vuelve a dar a Valeria, que le agrega:

"Sí eres un chorero."

Y ella se la da a Rubén, que después le pregunta a Leonor por qué le dice chorero, pero Leonor no entiende por qué le pregunta eso.

—Pienso que voy a mover una cuchara, y pienso fuerte pero no se mueve, y ¿sabes por qué? (*Natacha*).

—No (*Pati*).

—Porque la cuchara no puede pensar y entonces no me oye.

—Aaahh…

—…

—… Nati, ¿tú anotas esos descubrimientos?

—No.

—Hazlo, Nati, qué tal si se te olvidan.

El que ve, el que huele

Natacha camina de la mano de su papá, que la lleva a la escuela.

—Pa, ¿tú te pusiste a pensar de dónde vienen los pensamientos?

—(*huy*)… ajá.

—No, "ajá" no, papá; me tienes que decir "sí" o "no".

—¿Es por algo que preparas para la Feria?

—Tú dime "sí".

—(*paciencia mira hacia arriba*)… sí.

—¿Y qué te parece?

—¡…! ¿"Qué me parece" qué?

—Mmmm, que qué opinas.

—¡Nati, termina lo que decías!

—¡Papá, ¿no ves que ya terminé?! Si tú también lo pensaste.

—¿Qué cosa pensé?

—¡De dónde vienen los pensamientos! ¿¡O qué va a ser!? ¿Ves que hay días que mamá tiene razón, que no quieres hablar con nadie?

—... (*uno, dos, tres...*).

A Natacha le daba vueltas ese tema desde una tarde en la que hablaba con Pati, Jorge y Nicolás.

—Los gatos son más inteligentes que los perros, que son unos tarados (*Jorge*).

—¡Pero, ¿qué dices, güey?! (*Natacha miró a Pati, buscando apoyo*).

—Los perros ni tienen coeficiente intelectual, en cambio los gatos son como los delfines (*Jorge*).

—¿En las aletas o en los bigotes? (*Pati, en tono de burla*).

—¡En la inteligencia, escuincla, porque son los animales más inteligentes del planeta! (*Nicolás*).

—¡Ustedes son los animales más inteligentes del planeta, escuincle! Déjalos, Pati, ¿para qué discutes si ni saben nada? (*Natacha*).

Las dos amigas se cruzaron de brazos, se dieron vuelta y empezaron a caminar, pero sus compañeros las siguieron.

—¡Nosotros elegimos un documental que enseñaba que los gatos son veinte veces más rápidos que los perros! (*gritó Jorge*).

—¡Y para la Feria de Ciencia vamos a hacer un trabajo sobre eso! (*Nicolás*).

—¿¡Y van a mostrar a un gato durmiendo todo el día como un tarado!? (*Pati*).

—¡¿Qué dices, niñita?! ¡Si los perros ven en blanco y negro! (*Jorge, tapándoles el paso*).

—¡¡¡Deja de decir burradas!!! (*Natacha*).

—Sí, pero sueñan en colores (*la defendió Pati, también de brazos cruzados*).

—¿¡Cómo van a soñar en colores si ven en blanco y negro!? (*Nicolás*).

—¿Tú nunca soñaste que volabas? (*Natacha*).

—¿… y? (*Nicolás*).

—¿Y cómo vas a soñar que vuelas si caminas con los pies? ¡Es lo mismo, babas! (*Natacha*).

—¡Eso no es cierto porque no se puede averiguar! (*Jorge*).

—¡Algo puede ser cierto aunque no se pueda averiguar! (*Natacha*).

Esa tarde, cuando Natacha regresó a su casa, encontró a Rafles dormido. Apoyó su mochila con cuidado, lo observó sin despertarlo. Se acordó de unas películas en blanco y negro que su abuela veía por televisión. Al otro día es cuando su papá la lleva a la escuela y ella le pregunta de dónde vienen los pensamientos.

—¿Por qué me preguntas eso, Nati?

—Porque nosotros pensamos en colores, ¿no?, pero Rafles como esas películas que mira la abuela, ¡tan aburridas! (*se le humedecen los ojos*).

—¿Cómo?

—(*snif snif*) Que Jorge y Nicolás dicen que los perros no ven colores y yo quiero que el Rafles vea bien y no se aburra.

—Amor, él no siente que le falte nada.

—¡Pero yo sí sé! ¡Y si no lo ayudo soy una egoísta!

—... (*socorro*).

—... (*snif snif*).

—¿Sabes que Rafles huele cosas que nosotros no conocemos?

—¿Cómo? (*snif*).

—Que los perros tienen muy desarrollado el sentido del olfato y huelen mejor que nosotros.

—¡Ah, pus sí! ¡Porque tienen la nariz como un tubo!

—¿No has visto cuando Rafles va a la puerta sin que oigamos nada y al ratito llega mami o yo?

—¡Es cierto, papi! ¡Es un tramposo, él oye y se adelanta!

—Entonces, ¿quién percibe más divertido, Rafles o nosotros?

—(*piensa*)... está medio parejo, ¿no?

—Algo así.

—¡Es más transa el Rafles, papi! ¡Yo teniéndole lástima y él que se huele todo y oye a kilómetros!

—No tanto.

—Bueno, sí, pero ¡es más transa!

Siguen de la mano hasta llegar a la escuela.

Evolución de la ciencia

La maestra les habla de la historia de la ciencia y de cómo progresó gracias a que personas muy valientes vencieron los miedos, las supersticiones y las creencias de su época. Luego les encarga que escriban un trabajo.

Los fantasmas no tendrían que existir para que la gente tenga pesadillas o se asuste despierta como los monstruos o los vampiros por ejemplo. Si uno se los encuentra porque se le aparecen sin querer al pasear por una casa abandonada hay que ir con toda clase de precauciones, porque pueden dormir gentes y hacer sus necesidades si uno camina mirando el techo ¡guácala! Otros seres fantásticos son el hombre sin cabeza o la llorona que es una mujer que se aparece de noche en las esquinas sin pensarlo, el puerco de los ojos rojos, el hombre del clóset, y sólo existen en nuestra imaginación de las personas que los ven.

La ciencia no cree en las supersticiones porque no se pueden demostrar. Ella nos ayuda con sus muchos descubrimientos en vez de asustarnos, como la luz, la televisión, la radio, la velocidad del sonido o el cine. Hay muchas películas de miedo que sólo están en nuestra imaginación y cuando viene una parte de susto mejor cierro los ojos y que mi papá después me cuente así no sueño.

A mí me gusta más la ciencia porque los seres fantásticos dan miedo, o son nada más para jugar. Si es para disfrazarse son más lindos los seres fantásticos que la ciencia, son súper divertidos. Con Pati nos pintamos de blanco y nos reímos un montón. También nos pintamos sangre en la boca y los ojos negros o telarañas y así y apagamos la luz para asustarnos con linternas ¡y pegamos cada grito! que mi mamá nos regaña o perseguimos al Rafles que es más bruto y siempre se la cree el pobre y después le explicamos que era broma pero él se esconde debajo de la cama y no quiere saber nada.

Después es un relajo quitarse toda la pintura de la cara sin ensuciar las toallas porque se enoja la mamá de Pati. Es bien padre.

¡Vivan los seres fantásticos!

Natacha

(Y la ciencia también, claro, cuando jugamos a la ciencia hacemos que somos doctoras y lo operamos a Rafles para salvarlo y él ahí sí que no se asusta porque le gustan las cosquillitas en la panza se tira y abre las patas ¡es más pícaro!)

Natacha

Sabrina resalta

Natacha y Pati buscan a Sabrina para aclarar la confusión. Cuando la encuentran, está feliz.

—¡Gracias, niñas!

—¡¡¡¿¿¿…???!!! (*la miran sorprendidas*).

—¡Gracias, gracias! ¡Son mis mejores amigas!

—¡Bájale, niña! ¡¿Qué te hicimos?! (*Natacha*).

—¡Que yo no le había dicho a nadie que Rubén me gustaba!

—(*huy*)…

—¡Y ustedes le escribieron la carta, gracias!

—Híjole, Sabrina, qué lío, porque nosotras veníamos a pedírtela (*Pati*).

—¡¡¡¿¿¿Para qué???!!!

—Y bueno, porque sin querer le hicimos caso a Nicolás y ahora tenemos que arreglarla (*Natacha*).

—¿¡Cómo "arreglarla"!?

—Donde dice "Sabrina" tenemos que ponerle "Leonor" y dársela a ella (*Natacha*).

—Sí, porque los bambis pueden quedar, pero los nombres… (*Pati*).

—¿¡Cómo les voy a devolver una carta para mí!?

—¡Porque no era para ti, mensa! (*Pati*).

—¡Pero ahora dice mi nombre y es para mí!

—¡PORQUE LA REGAMOS, NIÑA!

—¡Pero Rubén me gusta! (*Sabrina, con los ojos llorosos*).

—Nati, ven tantito... (*susurro susurro*) no le podemos quitar la carta a Sabrina (*Pati*).

—¿Y por qué no le llegó ella a Rubén y ya? (*susurro susurro*).

—¿No ves que es así, toda tímida, Nati? (*susurro susurro*). ¡Tampoco seas gacha, eh!

—No, bueno, ya sé, Pati, pero ¿y ahora qué hacemos? (*susurro susurro*).

—Le escribimos a Rubén que queda todo igual, ¡y más le vale que le guste Sabrina, si no, lo matamos! (*susurro susurro*).

—Ah, claro... qué buena onda somos, Pati (*susurro susurro*).

—Gracias, amiga, tú también.

Se abrazan emocionadas. Regresan con Sabrina, que las espera preocupada.

—Ya está, Sabrina, quédate tranquila, la carta es tuya (*Natacha*).

—Pero no le gusto a Rubén, ¿no? (*Sabrina, triste*).

—¡Pero qué dices! ¡Le encantas! (*Natacha*).

—¡Por supuesto, Sabrina! ¡Ándale, Nati, arranquemos una hoja bien bonita!

—Lo que pasa, Sabrina, es que tú tienes lindo pelo, pero arréglate, porque como eres más tímida que no sé qué, tienes que resaltar (*Natacha*).

—… ¿sí? ¿Pero cómo?

—¡¿Le pintamos las uñas, Pati?! (*Natacha*).

—¡PADRÍSIMO! (*Pati y Sabrina*).

—¡Ya está! ¡Hagamos esto: te pintamos las uñas y hacemos una carta también! (*Natacha*).

—Uh, pero me va a costar el doble (*Sabrina*).

—No, porque si te las pintamos todas de distintos colores es más barato, porque gastamos menos de cada color, ¿entiendes? (*Natacha*).

—Ah, claro, ¿y cómo le hacemos?

—Mira, así, tú, Pati, busca los barnices que tenga tu mamá, ¿no?

—¡Sale!

—… tú, Sabrina, también junta todos los barnices de tu mamá…

—Uf, tiene un chorro.

—… por eso, mejor, y yo busco los de la mía, los juntamos y te pintamos todas las uñas bien modernas.

Esa tarde Rubén recibe una carta que dice:

Rubén, en cuanto puedas mírame las uñas.
Sabrina

Lentes

Natacha está acostada frente a Rafles, que duerme.

—Natacha, ¿viste mis len…? ¡Natacha! ¡¿Qué haces poniéndole mis lentes al perro?! (*la madre*).

—(*susurro*) Para ver si así se despierta y arranca viendo en colores, mami.

Alguna habrá

Natacha y Pati reciben esta nota:

> *Queridas Natacha y Pati, ustedes son muy estudiosas y buena onda, pero a mí la que me gusta es Valeria.*
>
> *Federico*
> *díganle a Valeria.*

—¡Pero… éste es un tarado, Pati! (*indignada*).

—¿¡No pone nada más!? ¿¡Del otro lado no hay nada más!? (*ofendida*).

—¿A ver…? No. ¿No te digo?

—¿¡Cómo nos va a escribir así, cortito, Natacha!?

—¡Pati, nosotras nos pasamos toda la tarde pensando la carta para él!

—¡Vamos a buscarlo y le decimos!

Lo encuentran jugando en el patio. Cuando él las ve también se acerca a ellas.

—Oye, ¿es cierto que ustedes hacen cartas de amor?, porque quería una para Valer…

—¡Mira, Federico! ¡No te pases de listo!

—¡Sí, porque no eres ningún listo!

—¡Pe…!

—¿¡Tú te piensas que "eso" es una respuesta!?

—Yo…

—¡¿Ese papelito de porquería?!

—¡¿Leíste bien la carta que nosotras te mandamos?!

—Sí, y…

—¿¡No viste qué linda letra perfecta, así, que tenía!? (*Natacha*).

—… ¡¿Y los bambis?! (*Pati*).

—Pe…

—¡¿Qué te crees?! ¡¿Que la hicimos al aventón?!

—¿¡No viste los bambis qué lindos!?

—… ¿¡y tú nos mandas un papelito cualquiera!?

Los otros chicos miran la escena.

—¡No te dejes, Fede! (*Rubén*).

—¡Déjenme hablar también! (*intenta frenarlas Federico*).

—¡Mira! ¡Más te vale que pares de jugar a la pelotita y vayas a escribirnos!

—¡Ja! ¡Ya parece que voy a dejar de jugar! (*Federico*).

—¡Sí! ¡Vas a dejar de jugar y te vas a escribirnos! (*Pati*).

—¡Apúrale, Fede, vente! ¡Ya no las peles! (*Rubén*).

—¡Tú cállate, metiche, o no te damos la carta que te mandó Sabrina! (*Natacha*).

—¡...! ¿Sabrina me escribió? (*Rubén*).

—¡Aaaaaaaaaah! ¡¿No que muy valiente, eeeeeeh?! (*Pati*).

—¡Sí, niño! ¡Y si sigues fregando se la damos a otro!

—(*susurro*) No, Nati, eso no lo podemos hacer.

—(*susurro*) Bueno, Pati, tú deja que le diga.

—No se la pueden dar a otro porque es para mí (*se queja Rubén y comienza a acercarse*).

—¡Bueno, Fede! ¿¡Vas a escribirnos otra carta!? (*continúa Natacha, sin prestar atención a Rubén*).

—¿A ver mi carta? (*Rubén*).

—¡*Spérate*, Rubén, no muelas! (*Pati*).

—¡No, ahora no voy a ningún lado! ¡Me quedo jugando con ellos! (*se envalentona Federico*).

—Oigan, ¿y a mí no me escribió nadie? (*Jorge, que se acerca al grupo*).

—¡¿Te crees que somos carteras o qué?! (*le contesta Natacha*).

—¡Claro, niño! Nosotras entregamos las cartas que nos encarga alguien a quien le gustes (*Pati*).

—¡Ah! ¿¡Y me van a decir que no le gusto a nadie!? (*Jorge*).

—¡¡¡No!!! (*las dos al mismo tiempo*).

—¿¡Y por qué Rubén sí, eh… y por qué!? (*Jorge*).

—Conmigo no te metas. Chavas, ¿me dan mi carta? (*Rubén*).

—¿¡Qué onda!? ¿Te vas al salón a escribirnos? (*Natacha a Federico*).

—(*duda duda*) …uf, no… sí, bueno, ahora no, después, al ratito.

—Niñas, mi carta (*insiste Rubén*).

—¡No! ¡Te vas ahora mismo, porque no es justo!

—¡Mi carta! (*Rubén*).

—¡Para de gritar, animal! (*Natacha*).

—Pídela bien si quieres que te la demos. (*Pati*).

—Pero… ¿qué quieren que les escriba? No sé qué ponerles (*Federico*).

—Oigan, ¿y cómo le hago para que me escriban una carta? (*Jorge*).

—Papacito, tienes que tener alguien a quien le gustes y nos encargue que te la hagamos (*Nati*).

—¡Uf! ¡Pero yo no sé a quién le gusto! (*se lamenta Jorge*).

—Niñas, en buen plan, ¿me dan la carta de Sabrina? (*intenta Rubén, en otro tono*).

—¡¿Y si me la dan a mí?! (*se entusiasma Jorge, creyendo haber encontrado una buena idea*).

Natacha y Pati lo miran con cara de "cómo se le puede ocurrir semejante cosa".

En la otra punta del patio ven a Sabrina, que camina mostrando las uñas, para que se acuerden. Natacha le hace un gesto pidiéndole que espere un poco, porque todavía no han entregado su carta.

—En serio, no sé qué ponerles (*Federico*).

—Ya vas, entonces olvídalo (*amenaza Natacha*).

—¡¿De qué me olvido?!

—¡Sí, eso, olvídalo! (*Pati*).

Amagan con dar media vuelta y el grupo de niños se mueve con ellas.

—Chavas, por favor, ¿me dan mi carta? (*implora Rubén*).

—Esperen, no se vayan, ¿¡de qué me olvido!? (*Federico*).

—¡Ol-ví-da-lo! (*Natacha*).

—Chavas, miren cómo se la estoy pidiendo: ¡mi carta! (*Rubén, con las manos cruzadas*).

—Cuando Federico nos escriba te la damos (*Pati*).

—¡¿Y yo qué tengo que ver con eso?! (*Rubén*).

—¡Que le decías que no nos pelara! ¡Eso tienes que ver! (*Pati*).

—Vamos, amiga, no sigamos perdiendo tiempo (*Natacha*).

—*Oots*… no sé qué escribir (*se queja Federico*).

—¡¿No tienes imaginación, Federico?! ¿No ves que si no, no me dan mi carta? (*lo reta Rubén*).

—¡Ta bien, pero, entonces, ayúdame! (*le reclama Federico, y se encaminan hacia el salón*).

—Chavas, ¿no saben a quién le gusto y le hacen una carta? (*Jorge*).

—No le lates a nadie, niño, porque eres muy bruto (*Natacha*).

—Te la pasas empujando y burlándote (*Pati*).

—¡No es cierto! (*exclama Jorge, con ganas de darles un empujón*).

—¡Sí es cierto y sácate de aquí!

—Bueno, pero les juro que ya no lo voy a hacer, en serio… (*Jorge*).

—No (*ofendidas marchándose*).

—... ándenle, no sean gachas... (*dando saltitos a su lado*).

—No.

—... se lo prometo, oigan...

—No.

—... averigüen si le gusto a alguna... (*en tono de súplica*).

—No.

—... (*a Jorge le vuelve el impulso de darles un empujón, pero tiene una idea*) ¡Voy a ayudar a Federico y ustedes me averiguan!

—¡No! (*Natacha*).

—¡Sí! ¡Sí! ¡Hacemos eso! (*Jorge sale disparado hacia el salón*).

—... (*silencio*).

—Natacha, ¿y ahora vamos a tener que buscarle una a quien le guste Jorge?

—Ay, yo qué sé, Pati, alguna habrá.

Perro pero inteligente

Natacha está sentada frente a Rafles.

—Rafles, mira, tú hueles más porque tienes la nariz de tubo, ¿no?, y los olores te llegan antes, porque la punta de la nariz te alcanza más lejos, pero los humanos tenemos la nariz más pegada a la cara y nos enteramos más tarde de un olor, ¿no?

Como Natacha lo mira a los ojos y se queda callada, Rafles mueve la cola.

—¿Entendiste? Bueno, pero además del olor hay otras cosas en la vida, ¿entiendes? Como por ejemplo, los colores y la inteligencia, ¿sabes?

Ante el silencio, Rafles vuelve a mover la cola.

—¿Por qué los perros son tan bestias que dejan que los gatos les ganen, eh? ¿Sabes por qué? Por zonzos, porque si fueran un poco listos, no dejarían que los gatos se hicieran los inteligentes, en cambio como los gatos son más abusados le hacen creer a la gente que son más inteligentes, por eso, porque son más abusados que los perros, ¿entiendes?

Rafles pestañea, sin bajar la vista, y mueve la cola.

—Por eso, como tú eres un perro así, muy especial y lindo y bueno… (*se emociona*). ¡Ay! ¡Rafles, deja que te abrace!

Lo apretuja entre sus brazos, Rafles le lame la cara, ella se defiende y lo vuelve a sentar.

—Sí, yo también te quiero mucho, Rafles, pero no te lambo la oreja, tienes que aprender a abrazar, no seas baboso… bueno, sigo, entonces voy a darte clases para que mejores.

Al oír que unas personas caminan por la banqueta, Rafles para las orejas y se acerca a la puerta a ladrar.

—¡Rafles! ¡*Spérate*, menso!

Regresa, obedeciendo a Natacha.

—¡Yo digo que voy a darte clases y tú sigues haciendo cosas de perro! Ay, yo no sé, a mí me late que tú eres más perro que no sé qué… bueno, ni modo. Mira qué te preparé.

Natacha desdobla una cartulina escrita.

—Hasta que sepas leer, te la leo yo: "El blanco y negro son dos colores muy importantes, pero no tanto, hay más. Las personas, los delfines y los gatos ven muchos colores hermosos por ejemplo el morado que es mi color favorito".

Detiene la lectura, saca un pequeño cartón pintado en el que dice "Morado". Continúa leyendo.

"El rojo es un color muy hermoso, es el que usan los bomberos y en los atardeceres, los semáforos y el techo de las casas."

Saca otro cartón pintado, con la inscripción "Rojo".

—¿Quieres que sigamos, Rafles, o ya le paramos?

Rafles mueve la cola.

—No, en serio. Si es mucho, aquí le paramos, no te desesperes por aprender todo de un jalón… mejor le paramos aquí y hacemos un examen para ver si aprendiste.

Pone los dos cartones en el piso y le pregunta:

—¿Cuál es el rojo?

El perro mira los cartones, levanta la vista hacia Natacha, se incorpora para lamerle la cara.

—¡Rafles, no seas transa! ¡No tienes que darme un beso cuando te hago un examen! Bájate… tienes que decirme cuál es el rojo, éste (*señala el cartón morado*) o éste (*señala el cartón rojo*).

Rafles entiende que ella quiere jugar y le ladra a la mano, que sigue apoyada sobre el cartón rojo.

—¡Bien, Rafles! ¡Eres un genio! ¡Ay, no lo puedo creer! ¡Eres más inteligente que los gatos! ¡Ven que te abrazo!

Rafles se deja apretar.

—¡Bien, mi amor! ¿Viste que sí ves los colores? ¿¡Por qué el tarado de Jorge decía que los perros no podían!?

Cuando la mamá de Natacha llega a la casa, encuentra la cartulina escrita sobre la mesa, los cartones coloreados en el suelo y una nota:

Mamá saqué a Rafles de premio porque hoy empecé a darle clases ¡y enseguida reconoció los colores! (¡Si sigue así va a ser un delfín, por lo menos!) Te llamé para preguntarte si lo podía dejar perseguir un gato si veíamos, pero no estabas entonces hoy no lo dejo, no te preocupes. Lo llevo a pasear y de paso salimos a leer carteles para que progrese más.

Valeria se niega

Como otra de las actividades previas a la Feria, los chicos de la escuela van a visitar un zoológico. Durante el viaje en autobús, Natacha y Pati se acercan al asiento de Valeria.

—No, chavas, a mí no me late Fede (*Valeria*).

—Ay, Vale, no seas mala onda, ¿no ves que nos pidió que te hiciéramos una cartita?

—Pero a mí me gusta Nicolás.

—¡Híjole, Natacha, como a ti! (*Pati*).

—¿En serio? (*Valeria*).

—Sí, quitándole la babita, pero me gusta (*Natacha*).

—¿¡Qué babita!? (*Valeria*).

—Una que se le hace cuando habla (*Pati*).

—¿Quieres ver? (*Natacha*).

Van hasta el asiento de Nicolás, quien se sorprende porque se acercan las tres.

—Hola, Nico (*Vale mira fijo*).

—¡…! ¿Qué pasa?

—No, nada, queremos hablar contigo (*Pati mira fijo*).

—¿¡De qué!?

—De lo que quieras, a ver, vas tú (*Natacha mira fijo*).

—¡¿…?! (*Nicolás no entiende*).

Las tres le miran la boca.

—¡¿Qué miran, niñas?!

—¡Ay, nada, Nicolás! Empieza a contar algo de la Feria de Ciencia, ¿qué vas a preparar? (*Natacha mira fijo*).

—Todavía no sé porque no se me ocurrió nada, pero con mis cuates… (*Nicolás*).

—¡Ahí está! (*Natacha señala la boca*).

—¡Ay, es cierto! (*Valeria*).

—¿¡Qué tengo!?

—¿Ya ves, Vale? (*Pati*).

Las tres dan media vuelta y se van.

—Oigan, ¿qué tengo? (*Nicolás*).

—Pero ni tanta, ¿no? (*Valeria, mientras se alejan*).

Prometo que
nuncamás boy a cer
bruto niempugar a nadie ni a las chicas.

Jorge

Pobre rinoceronte

—Pati, ¿te acuerdas de cuando fuimos al zoológico, que comparamos la jirafa y el rinoceronte y la jirafa medía como tres metros más? (*Natacha*).

—¡Ay, sí!, que nosotras decíamos que qué transas, ¿por qué no paraban en dos patas al rinoceronte?

—Porque lo defendíamos, pobre, ¿no? Tenía una cara así, como de que nadie lo defendía, pobre, ¿no? Me recordaba al Rafles.

—Sí, pobre… si no fuera tan grande, me lo llevaba a casa, para cuidarlo (*Pati*).

—Pero tienes que tener un lugar con mucha agua.

—Y qué, Nati, pero que él se acostumbre un poco también, si no, qué flojo, ¡todo yo!

—Y, al principio sí, Pati, porque encima que lo sacas del zoológico, le pides que se aguante sin agua, ¡va a estar más perdido!

—¡Y qué, Natacha! ¡Pero si lo salvo, que se aguante un poco!

—¡Pero prepárale un poco de agua, Pati! ¡¿Lo vas a llevar y que se quede seco?!

—¡No, pero yo no digo siempre, así tantito mientras consigo agua, niña!

—¡Ah, bueno, aclara, Pati! ¡Para qué hablas!

—¡¿Que "para qué hablo"?!

—¡Cállate, niña!

—¡Cállate, tú, Natacha!

—¡No, tú!

—¡No, tú!

—¡Cállate tú, que eres la que quiere dejar seco al rinoceronte!

—¡Pero qué dices, Natacha, tarada! ¡¿Y tú?! ¡Que el otro día te olvidaste de sacar a pasear al Rafles!

—¡Pero ¿qué comparas, Pati, por una vez que lo olvidé?!

—Aaaaaaaaaahhh… y qué, ¿yo no me puedo demorar un poco para conseguir agua?

—¡Búscale toda el agua que quieras, Pati! ¡Qué me importa si se queda seco!

—¡Natacha, eres una egoísta y lo único que te importa es el Rafles!

—¡No, pero no digo que lo voy a ayudar y después no le doy agua!

—¿¡Y quién dijo que no le voy a dar agua!? (*Pati*).

—¡ENTONCES DIME QUE LO VAS A AYUDAR Y LISTO!

—¡CLARO QUE LO VOY A AYUDAR, TARADA!

—¡SI LO VAS A AYUDAR NO ME GRITES! ¡TARADA TÚ, PATI!

—¡SI TÚ ERES LA QUE ESTÁ GRITANDO, NATACHA!

—¡PORQUE TÚ NO PARAS, NIÑA!

—¡CÁLLATE TÚ, ASÍ PARO DE GRITAR!

—¡CÁLLATE TÚ PRIMERO!

La madre de Natacha se acerca al cuarto:

—Niñas, ¿se puede saber por qué se pelean?

—Ay, mamá, ¿no ves que estamos jugando? (*Natacha, muy calmada*).

—... (*socorro socorro*).

La respuesta de Federico

—Dibújale un corazón (*Rubén*).

—No inventes, tonto, un corazón es de mujercitas (*Fede*).

—Para nada, si es de amor los hombres también pueden hacerlos.

—No, mejor la hacemos sin dibujo.

—¡Si por hacerla sin dibujo no me dan la carta de Sabrina, no te la acabas, Fede!

—¡Y yo qué culpa tengo!

—¡Hazle el mugre dibujito, niño, ¿qué te cuesta?!

—¡¿Pero qué hago?!

—Un árbol, da igual, cualquier cosa.

—Mejor un arco iris.

—¿Por?

—Qué sé yo, es más lindo, así lo pintamos.

—¡O un coche, Fede! ¡Dibujémosle un coche de carreras! ¡Y lo pintamos de rojo!

—(*se agarra la cabeza*) Para eso le dibujamos un corazón, mejor.

—*Oots*, bueno, sale.

PÁNICO
Y
TERROR

Natacha y Pati: yo antes tenía amigos nomás, pero ahora ustedes son mis mejores amigas. Quería que le dijeran a Valeria que me gusta, y si quieren hacemos juntos el trabajo de la Feria de Ciencia que no se nos ocurre nada. Ustedes también me gustan.

Fede

Natacha y Pati reciben esa nota.

—¡Ay, Pati, nos hicieron una carta súper romántica!

—¡Es hermosa, Natacha, ¿viste el dibujo del auto?!

—¡Está chidísimo! Se esforzaron un montón, ¿qué les decimos del trabajo de Ciencia?

—Que sí, Nati, ¿qué les vas a decir?, pobres. ¿No ves cómo lo piden por favor?

—¡Ya sé! Hagamos una reunión en mi casa.

—¡Y rentamos un video de ciencia, así nos inspiramos!

—¡Padrísimo, Pati! Hagamos la lista.

Qué tiene que traer cada uno para el sábado:

Natacha: 1 refresco y la casa

Pati: churritos

Rubén: 1 refresco y 2 bolsas de papitas

Nicolás: 2 refrescos y 3 papitas

Leonor: 1 papita y 1 refresco

Fede: 1 papita o 1 refresco (lo que quieras)

Valeria: servilletas y un pastel

Sabrina: 1 pastel y cuaderno para anotar

Jorge: 4 refrescos, 5 papitas, 4 churritos, 2 pasteles (no romper nada, ayudar a ordenar, limpiar todo, no empujar)

Domesticar

—¡¿Natachamequieresdecirquéesesto?! (*la mamá, desde la puerta*).

—... (*huy*).

Natacha va hasta la entrada, donde encuentra a su mamá con un papel en la mano.

—Hola, mami, qué bueno que ya lleg...

—Natacha, ¿qué lío es éste?

—¡Ay, mami, apenas llegas y ya me estás regañando! No puedo saber tan rápido, ¿a ver?

La mamá extiende la nota y Natacha lee:

Los perros son masín telijentes que los gatos que no ben en colores y los perros si.
Firma: Jorge
PD: Natacha ¿ya me beriguaron qien me vaescribir?

—¿Qué quiere decir "masín", mami?

—Natacha, no te hagas.

Sábado en equipo

A pesar de que hay protestas porque a algunos no les parece justo lo que deben llevar, se reúnen en el departamento de Natacha. Sabrina, que además fue la encargada de rentar el video, consiguió uno sobre la vida del científico Pavlov.

—¡NATACHA, DILE A TU PERRO QUE NO SE COMA LAS PAPITAS! (*Nicolás*).

—¡Rafles! ¡No comas eso que te hace daño! (*Natacha*).

—Porque nos quedamos sin, mensa, no "porque le hace daño" (*Nicolás*).

—¡Rafles! ¡No comas porque le hace daño a Nicolás que es un egoísta!

—¡Fíjate, se las sigue comiendo!

—¡QUÍTALE LAS PAPAS DE ADELANTE, ESCUINCLE! ¡Y YA!

—¡¿No muerde?! (*Nicolás acerca la mano, con miedo*).

—Cuando mastica sí (*Natacha*).

—No te hagas, quítale tú las papitas.

—¡Nati! Dice Valeria que si podemos poner el pastel en el refri, porque es de los que se derriten (*Pati desde la cocina*).

—¡Sí!

—Natacha, no entra el video, ¿qué onda? (*Rubén*).

—¡No lo empujes, menso! ¿¡No ves que tiene uno adentro!? (*Fede*).

—¿Viste que había que apretarle algo antes? (*Jorge*).

—¡Ni se te ocurra tocarlo! (*Natacha*).

—¿¡Y quién lo iba a tocar!? Yo nomás le decía a Rubén (*Jorge*).

—¡Natacha! ¡Tuvimos que sacar unas milanesas, si no el pastel no cabía! (*desde la cocina*).

—Natacha, ¿tienes una charola o apoyamos los vasitos en el suelo? (*Sabrina*).

—¡NATACHA, EL RAFLES SE SIGUE COMIENDO LAS PAPITAS! (*Nicolás*).

—¿Dónde está el baño, Natacha? (*Fede*).

—¡Nati, esta charola que sacamos huele feo, ¿la tiramos?! (*Pati desde la cocina*).

—¡Esperen que estoy metiendo el video, que no entra! ¡Rafles, bájate de la mesa! (*Natacha*).

Cuando están listos, se sientan enfrente del televisor, rodeados de papitas, refrescos, pasteles y servilletas. Comienzan a verlo. Aparecen imágenes de Pavlov al lado de unos perros.

—¡Mira, Rafles! ¡Es una película con perritos como tú! (*Natacha contenta*).

Rubén eructa.

—¡ASQUEROSO! ¡Qué asqueroso eres, güey! ¡*SPÉRATE*, TARADO! ¡Tápate la boca sin hacer ruido! (*Valeria, Leonor, Sabrina, Natacha y Pati*).

—Se me escapó, oigan, fue el refresco (*sonriendo*).

Los demás niños se ríen.

—¡¿Y tú, Jorge, de qué te ríes?! (*Natacha*).

—¡Si todos se ríen, ¿por qué la traes conmigo?! (*se defiende Jorge*).

El documental muestra imágenes de un actor que hace de Pavlov y relata sus experimentos con los perros.

—Huy, vete, Rafles, esta parte no la mires (*Natacha*).

—¡Qué video trajiste, Sabrina! (*Pati*).

—Ay, bueno, yo pedí en la biblioteca y me enchufaron éste (*Sabrina*).

Fede eructa, los demás niños estallan en risas.

—¡Basta! ¡No sean cerdos! ¡Ya, tarado! ¡Ya, baboso! ¡¿No ves que estamos comiendo?! (*todas las niñas, mientras Rafles ladra*).

—¡Natacha, dile al perro que se calle, que no deja oír! (*Fede, entre carcajadas*).

—¿¡Y tú de qué te ríes, eh!? (*Natacha a Jorge*).

—¿¡Otra vez yo!? ¡Dile a Fede, que fue él! (*Jorge*).

—Pongamos el video de nuevo, porque no entendí nada con tanto relajo (*Sabrina*).

Rubén eructa, los niños se tiran al piso de la risa.

—¡QUÉ ASQUEROSOS! ¡Córrelos, Natacha! ¡QUE SE VAYAN POR GUARROS! (*las niñas*).

—Abrimos las ventanas y ustedes se van a verlo desde el balcón (*Natacha, enojada*).

—¡¡No la amueles!! ¡No vamos a ver nada!

—¡Bien, Nati, que se vayan por asquerosos! (*Pati*).

—¡¿Y yo por qué?! (*Jorge*).

—¡Por reírte! (*Valeria*).

—¿Por reírme nomás?

—¿Podemos llevar al Rafles? (*Rubén*).

—¡No! (Natacha).

Los niños se quejan, prometen portarse bien, pero Natacha abre las ventanas y los echa.

—¡Natacha! ¡Desde acá no se ve! (*Rubén*).

—¡Cállense porque no nos dejan oír! (*Leonor*).

—¿Y cómo vamos a hacer el trabajo juntos si no vemos bien? (*Nicolás*).

—¿Puedo entrar por pastel? (*Jorge*).

—Natacha, necesito pasar al baño (*Fede*).

En el documental vuelven las imágenes con el actor que hace de Pavlov. Está al lado de unos perros atados, a los que señala mientras hace sonar un timbre.

—Sabrina, no me gusta este documental, ¿no había otro en el que no ataran a los perros? (*Natacha*).

—¡Natacha! ¡Me urge ir al baño! (*Fede*).

—¡Chicas, en serio, no se ve nada! (*Rubén*).

—Ya vimos mucho, apaguémoslo (*Pati a las otras chicas*).

—Pero que no entren los chavos, son unos marranos (*Sabrina*).

—Saquemos las cosas y hacemos un picnic en el balcón (*Natacha*).

Para no ensuciar un mantel, extienden muchas servilletas de papel en el suelo.

—Hagamos el trabajo sobre los seres del mar (*Natacha*).

—Mejor sobre autos (*Rubén*).

—¿¡Y qué tienen que ver los autos y la ciencia, zonzo!? (*Valeria*).

—¡Ay!, si lo hacemos sobre los seres del mar, que los chicos se disfracen de delfines y nosotras de sirenas (*Sabrina, acomodándose el pelo*).

Nicolás y Fede se agarran la cabeza.

—¡Ay, no rezonguen, niños! ¡Sería padrísimo! (*Leonor*).

Jorge hace señas de que ni loco. Rubén hace un gesto como si fuera a vomitar.

—Mejor de autos (*Fede*).

—¿No puede ser de otra cosa que no sean autos? (*Natacha*).

—¡De motos! (*Nicolás*).

—Mejor que los niños hagan un trabajo aparte (*Leonor*).

—¿Para eso vinimos hasta acá? Trabajemos en equipo (*Jorge*).

—Ustedes en lo único que piensan es en motos y autos (*se queja Valeria*).

—¡Y ustedes en disfrazarse y pintarrajearse la cara! (*Rubén*).

—¡Tengo una idea! ¿¡Y si demostramos que los perros ven colores!? (*Jorge*).

—¡PADRÍSIMO! (*Natacha*).

—La maestra no nos va a dejar (*Rubén*).

—¡Entrenemos al Rafles para hacer demostraciones! (*Pati*).

—¡Rafles, ven que te vamos a decir algo! (*Natacha*).

—Pero que los niños se disfracen de seres del mar (*Sabrina*).

—¿Y eso qué tiene que ver? (*Nicolás, agarrándose la cabeza*).

—Son seres de la naturaleza, ¿no entiendes? (*Sabrina, acomodándose el pelo*).

—¡El perro se come el pastel! (*Fede*).

—¡Rafles! ¡Deja eso y ven para que te expliquemos! (*Natacha va a buscarlo*).

Rafles da un ladrido y se escapa, jugando.

—¡Ayúdenme a agarrarlo! (*Natacha*).

—¡Cerremos las puertas de la casa! (*Leonor*).

—¡Al ataque! (*Rubén se lanza tras el perro*).

—¡Busquen una cubeta de agua, que los perros le tienen miedo! (*Nicolás, corriendo*).

—¡Natacha! ¡Que no se meta a los cuartos! (*Pati corre hacia esas puertas*).

—¡JORGE, NO EMPUJES! (*Valeria*).

—¡Valeria! ¡Por tu culpa se me escapó! (*Jorge*).

Rafles corre, corre y ladra feliz con el juego.

—¡Nicolás, ciérrale el paso, tarado! (*Natacha*).

—¡Sácate qué! ¡Me va a morder! (*Nicolás*).

Rafles corre, corre, pasa debajo de la mesa y de las sillas.

—¡Cuidado la lámp...! (*Leonor*).

—¡Ay! (*Rubén se tropieza con una lámpara*).

Rafles corre, corre, salta arriba de los sillones y escapa.

—¡Chin! ¡Miren cómo quedó la lámpara! (*Fede*).

En ese momento se abre la puerta de la calle y entra la madre de Natacha.

—¡Natacha!

Todos se quedan quietos en sus lugares. Rafles sigue corriendo por debajo de las sillas, feliz.

—¡Natacha, ¿quieres parar a ese perro y explicarme qué relajo es éste?!

—No, mami, estamos haciendo el trabajo para la Feria de Ciencia.

—Pero el perro no se deja, señora (*Fede*).

—... (*socorro, socorro, socorro, piensa la madre, agarrándose la cabeza*).

Rafles se asoma por la puerta de la cocina y se escabulle, silencioso, hacia el balcón, con la cola entre las patas y una milanesa en la boca.

No seas mala

—Valeria, escríbele una cartita a Jorge, no seas mala, porfas (*Natacha*).

—¡Pero si no me late! (*Valeria*).

—Con Fede tampoco quisiste, no seas egoísta, ¿no ves que propuso un trabajo lindo para la Feria? (*Pati*).

—Pero una de amor no (*Valeria*).

—Porque nosotras quedamos en que lo ayudábamos si él dejaba de empujar (*Natacha*).

—¿Viste que ahora es más educado? (*Pati*).

—Haz de cuenta que lo ayudamos a domesticarse (*Natacha*).

—Sí, pero una de amor no.

—¡Ya, terca, no importa si no es de amor! (*Natacha*).

Jorge recibió la siguiente nota:

Jorge, qué padre que hagamos el trabajo sobre un científico tan importante como Pavlov.

Valeria

El gran día

La Feria de Ciencia y Tecnología se desarrolla en el patio cubierto, ocupado por cuarenta y ocho stands que enfocan los más diversos temas. El del equipo de Natacha, a pesar de que la maestra insistió en que hicieran otro trabajo, se llama: "¿Ven que los perros ven colores?".

Su stand está cubierto de dibujos de científicos, cartulinas con explicaciones de la vida de Pavlov, diagramas de cómo funciona el ojo y, para no desperdiciar trabajos anteriores, de ballenas, tiburones y delfines.

Fede, Rubén y Nicolás no pueden evitar disfrazarse porque, como les explicó Natacha: queda súper lindo que un animal inteligente como el delfín reconozca que los perros ven colores. Jorge se disfraza de gato, porque también está bueno que sea el mayor enemigo quien les explique a las personas, dice Pati.

Las niñas quedan en disfrazarse de sirenas, pero como no consiguen ropa adecuada van de bailarinas clásicas. Sabrina pide que le pinten las uñas y se pone brillitos en el pelo.

La verdadera estrella es Rafles, sentado (cuando se queda sentado) encima de una mesa. A su alrededor hay cartones de diferentes colores, con los que harán las demostraciones que Natacha y Pati ensayaron con Rafles.

Rubén, Nicolás y Fede reparten fotocopias con un dibujo del ojo humano. Jorge vigila que Rafles no escape. Leonor, Valeria y Sabrina atienden al público. Natacha y Pati aparecerán detrás de una cortina para realizar la demostración con Rafles.

Las autoridades se detendrán delante de algunos stands; ellos quieren que al suyo lo vean con atención.

Los "Seres del Mar", avergonzados por sus disfraces, se esconden en el stand y sólo entregan folletos a quienes se los piden. Las niñas se ven obligadas a salir a repartirlos. Cuando Valeria se va, Jorge sale al pasillo para entregarle la respuesta a su carta. Natacha y Pati, escondidas detrás de la cortina, no sólo no son vistas por nadie, sino que tampoco se enteran de nada.

Cuando Natacha se asoma, Jorge está en el pasillo haciendo señas con su notita en la mano. Rubén, Nicolás y Fede se sientan en un rincón para ver figuritas de motos. Rafles está en el borde de la mesa, tomando fuerzas para saltar al piso. En ese preciso momento vuelven las niñas corriendo.

—¡Natacha! ¡Ahí vienen! (*Leonor*).

La demostración

—Valeria, te quiero dar esto (*Jorge con su carta en la mano*).

—¡Todos a sus puestos! (*Natacha*).

Fede se incorpora de golpe y le arrebata los panfletos a Valeria. Jorge le da un empujón a Fede y le devuelve los panfletos a Valeria.

—¿¡Estás del lado de las niñas, bestia!? (*Rubén*).

Jorge le tira un puñetazo a Rubén. Rafles junta valor y salta de la mesa.

—¡Se escapa el Rafles, niñas! (*Leonor*).

—¡Atrápenlo que ya van a llegar! (*Natacha, detrás de la cortina*).

—¡Paren de pelearse ustedes dos! (*Sabrina a Rubén y Jorge, que se dan empujones, desafiándose*).

Rafles va a un stand en el que muestran el proceso de elaboración de las salchichas. Leonor,

Valeria y Fede corren a buscarlo. Sabrina, Nicolás y Rubén salen al encuentro de las autoridades, que caminan lentamente, sonriendo a los niños de cada stand.

—Ay, qué lindos esteee… ¿qué eres, mi amor… un pescado? (*la inspectora*).

—No, un delfín (*Rubén sonríe de mala gana*).

—¡Ay, qué lindo delfín, ¿no?! ¿Cómo te llamas?

—¡Pus "delfín", ¿cómo me voy a llamar?!

La maestra piensa "socorro".

—No, querido, cómo te llamas tú, no tu personaje (*la inspectora deja de sonreír*).

—Rubén… miren cómo funciona el ojo humano y…

—¡No sean tramposos! ¡Esperen a que lleguen hasta el de ustedes! (*reclama uno de los niños responsables del stand que tienen enfrente*).

—¿Cómo? ¿Ustedes no son de éste? (*la inspectora*).

—Somos del experimento de que los perros ven colores (*Sabrina, arreglándose el pelo*).

—¿Quién te pintó las uñas? (*la inspectora*).

—Natacha y Pati, por un peso nomás (*Sabrina*).

La maestra piensa "socorro, socorro, socorro".

—¿¡Cómo que "por un peso"!? (*la inspectora*).

—¡Vio qué barato! Si quiere yo les digo (*Sabrina*).

—¡Apúrense! ¡¿No ven que ya trajimos al Rafles?! (*grita Natacha desde el stand*).

—¡Natiiiii! ¡A la inspectora le gustó cómo me pintaste las uñas! (*Sabrina toma del brazo a la inspectora y conduce al grupo hasta el stand*).

—Bueno, ¿a ver qué era eso tan importante que nos querían mostrar? (*la inspectora*).

—Miren, éstos son los científicos más buenos de la humanidad y ahí están los seres del mar… (*Natacha*).

—A ver, querida, si hablas tan rápido no se te entiende (*interrumpe la inspectora*).

—(*uf*) Sí, bueno… el ojo humano ve montones de colores, es más divertido que el del perro, pero éste, en compensación…

—A ver, de nuevo (*interrumpe la inspectora*).

—¡Ay! Pero si hablo despacio… bueno, el perro huele a más distancia por su nariz en forma de tubo… ¡Rafles! ¡Rojo! (*ordena Natacha y señala ese cartón*).

Rafles mira hacia allí, sin dejar de masticar el último trozo de salchicha.

—¡Bravo! ¡Viva! ¡De pelos! ¡Qué chido! (*gritan todos*).

—Querida, el perro siguió el movimiento de tu mano; observa, a ver, perrito, ¡magenta! (*la inspectora*).

Rafles se queda mirándola.

—¿Ves? Como no moví la mano, no supo qué hacer (*la inspectora*).

—¡¿Y qué color es ése?! ¡Así es trampa! (*Natacha*).

—¡Señora, termine de ver el nuestro! (*reclaman los niños del stand anterior*).

—Ustedes vuelvan, que nosotros ya regresamos (*la maestra, tratando de componer la situación*).

—¡Salgan, tarados! (*Jorge*).

La maestra se tapa la cara.

—¡Pero, ¿qué es ese lenguaje?! (*la inspectora*).

—Rafles, muéstrale el verde que sí lo estudiamos (*Natacha*).

—¡Aaaaaahh, ahora no les gusta que los molestemos, ¿verdaaad?! (*los del equipo contrario*).

—Señora, ¿no quiere que sigamos? (*la maestra a la inspectora*).

Rafles comienza a ladrarles.

—Sí, niñito, sí. Calmadito, loquito, váyanse, ¿sí?, váyanse con sus mamitas (*Nicolás a los del otro grupo*).

—¡No nos vamos! ¡Vamos a molestarlos como hicieron ustedes!

—¡Ya cállate, cara de vaca! (*Fede*).

—¡Niños! (*la maestra*).

—Rafles, el verde, ¿te acuerdas de cuando te dije "la lechuga es verde"? (*Natacha*).

—A ver, niños (*la maestra*), compórtense como buenos compañeros que son y…

—¡¡¡Ushca, babas, lárgate!!! (*Jorge al chico del otro equipo*).

—Mire, ésa es Madame Curie que les da de comer a sus perros (*Sabrina trata de distraer a la inspectora*).

—Para nada, niña, ése es Pavlov (*Leonor*).

—Ah, bueno, es lo mismo (*Sabrina, acomodándose el pelo*).

—¡No-nos-vamos! ¡No-nos-vamos! (*el otro equipo*).

Rafles quiere regresar al stand de las salchichas y se agacha, colocándose en posición de saltar al suelo.

—¡AY! ¡EL PERRO VA A HACER SUS NECESIDADES EN LA MESA! (*grita la inspectora, que interpreta mal que Rafles se agache*).

A Rafles le pica una oreja, suspende el salto y se sienta para rascarse a gusto.

—¡Se sentó sobre el verde! (*Natacha*).

Pero las autoridades ya retomaron su camino.

—Valeria, gracias por escribirme, este… eeh… ten (*Jorge le entrega su respuesta*).

—¡Bravo, Rafles! ¡Eres un delfín! (*Natacha, mientras lo mima*).

A medida que transcurre la tarde, poco a poco pasan sus padres, a quienes les cuentan orgullosos que Rafles actuó muy bien, aunque la inspectora no alcanzó a verlo.

Al finalizar la Feria, se da menciones a los mejores trabajos. Al de ellos lo nombran entre los últimos, calificado con un "deben mejorar".

—¡Qué estímulo tan chafa! (*Natacha*).

Se produce un gran silencio. Desarman el stand sin decir una palabra, desanimados. Trabajaron mucho y sienten que no es justo. Los papás comienzan a ayudarlos a recoger las cartulinas y les dicen palabras de consuelo. Las mamás los ayudan a quitarse las pinturas y también los alientan.

Cuando están por regresar a sus casas, el papá de Natacha propone ir a comer pizza. Eso levanta el ánimo del equipo.

—(*susurro*) Mami, ahora no quiero que hablemos de esto delante del Rafles, porque igual y piensa que fue culpa suya y se va a sentir mal, ¿sabes? (*Natacha*).

Valeria: ¿quieres ser mi amiga?

Jorge

Epílogo

Querido diario: qué padre fue trabajar en equipo. Resulta que las calificaciones las puso la inspectora que es una metiche pero a la miss le gustó nuestro entusiasmo y nos dijo que teníamos que corregir cosas pero que había sido la idea más original (otros explicaban la lluvia o lo del polen y taradeces que la ciencia ya ni pela). Con mis amigas dijimos que vamos a dejar que los niños sean nuestros amigos porque son divertidos. Rafles no quería hacer ningún experimento y como lo obligamos se escapaba a lo mejor un delfín se hubiera portado obediente y nos hubiéramos sacado un "destacado" pero él es medio rebelde y no le gusta que lo obliguen. No tiene la culpa es como Nicolás y su babita ¡si él ni sabe! Valeria nos contó que Jorge no es un empujador como creíamos y ahora se la pasan escribiéndose cartitas. Rubén nos regaló un dibujo de una moto. Fede es muy lindo. Ahora Sabrina y Leonor se pintan las uñas todos los días y se ponen brillitos. Te quiero mucho querido diario eres mi mejor amigo (y Pati y Rafles y mamá y papá y las niñas y los niños también).

Natacha

Yo y Pati dijimos que no vamos a seguir con el negocio de las cartitas. Mejor hicimos una guía y que cada uno le escriba al que le dé la gana.

Mi ficha personal

Mi nombre es NATACHA peso 32 kg y nací en el seguro social de mis papás.

Las personas que viven conmigo son mi mamá mi papá y Rafles ellos son muy buenas personas y son bien pesados a veces y a veces no.

Mido 1,30 m según qué zapatos me ponga, mi pelo es medio rubio como mis ojos azules pero no tanto.

De mis mejores amigas tengo muchas mejores amigas mi mejor amiga es Pati después está Valeria que es mi mejor amiga de la semana o Sabrina y Leonor que también me hacen un regalo así muy bonito y yo las quiero mucho, si un día no me pueden hacer un regalo igual las quiero porque a lo mejor ese día no pudieron pero otro día sí.

Yo y Pati siempre nos hablamos por teléfono porque mi mamá dice que no tendríamos que gastar tanto, pero es que ella vive no tan lejos pero me llama y me cuenta cada cosa y yo le digo ¡ay Pati!

De los niños mi mejor amigo es el Rafles y después sigue Fede que no es mi mejor amigo, pero es muy lindo y Nicolás y Rubén y Jorge si no empuja.

Mi carácter es muy paciente y amistoso y soy bastante tranquila.

No me gusta acostarme temprano o comer algunas verduras (todas las que son verdes, moradas o caféseses) ni que mi papá trabaje tanto ni mi mamá (¡ah, y algunas rojas!).

La escuela está bien y debería ser muy divertida, a los maestros se les ocurren buenas actividades y paseos y cada tanto nos ponemos unas aburridas.

Mi país es sorprendente con sus muchas bellezas naturales por todas partes como ser: ríos cataratas montañas nieve ríos playas (de mar y de río) selva y ciudades y túneles.

Cuando vamos de vacaciones nos gusta recorrerlo y admirar sus paisajes que se extienden por todo el país.

También tiene músicas diferentes y costumbres. En sus regiones tiene comidas nuevas que cuando uno está de viaje más le vale llevar de casa porque si no parecen ricas y después uno guacarea por la falta de costumbre. ¡Vivan los paisajes!

NATI...
HORA
DE DORMIR
SÍ, MA...
UN MINUTO
NOMÁS

Luis María Pescetti

www.luispescetti.com

Nació en San Jorge, Santa Fe. Es escritor, actor y músico. Trabajó en televisión y conduce programas de radio en México y Argentina; presenta sus espectáculos en esos países y España, entre otros.

Ha realizado seis discos con espectáculos grabados en vivo: *El vampiro negro, Cassette pirata, Antología, Bocasucia, Qué público de porquería* e *Inútil insistir.*

Entre los premios nacionales e internacionales que ha recibido, mencionamos el galardón de los Destacados de ALIJA y el Premio Fantasía (Argentina), el Premio Casa de las Américas (Cuba) y The White Ravens (Alemania).

Su amplia producción de libros para niños es reconocida en Latinoamérica y España. Algunos de sus títulos son: *Caperucita Roja (tal como se lo contaron a Jorge), El pulpo está crudo, Frin, Lejos de Frin, Natacha, Chat Natacha chat, Bituín, bituín Natacha, Querido diario (Natacha), Historias de los señores Moc y Poc, Nadie te creería* y (para adultos) *El ciudadano de mis zapatos.*

Índice

Esta obra se terminó de imprimir en febrero de 2009,
en los talleres de Litográfica Ingramex, S.A. de C.V.
Centeno 162-1, Col. Granjas Esmeralda,
C.P. 09810, México, D.F.